Texte
PASCAL
HÉRAULT

Illustrations
Geneviève
Desprès

LES VACANCES
DE MONSIEUR LAPIN

Les 400 coups

Texte
PASCAL
HÉRAULT

Illustrations
Geneviève
Després

LES VACANCES
DE MONSIEUR LAPIN

Les 400 coups

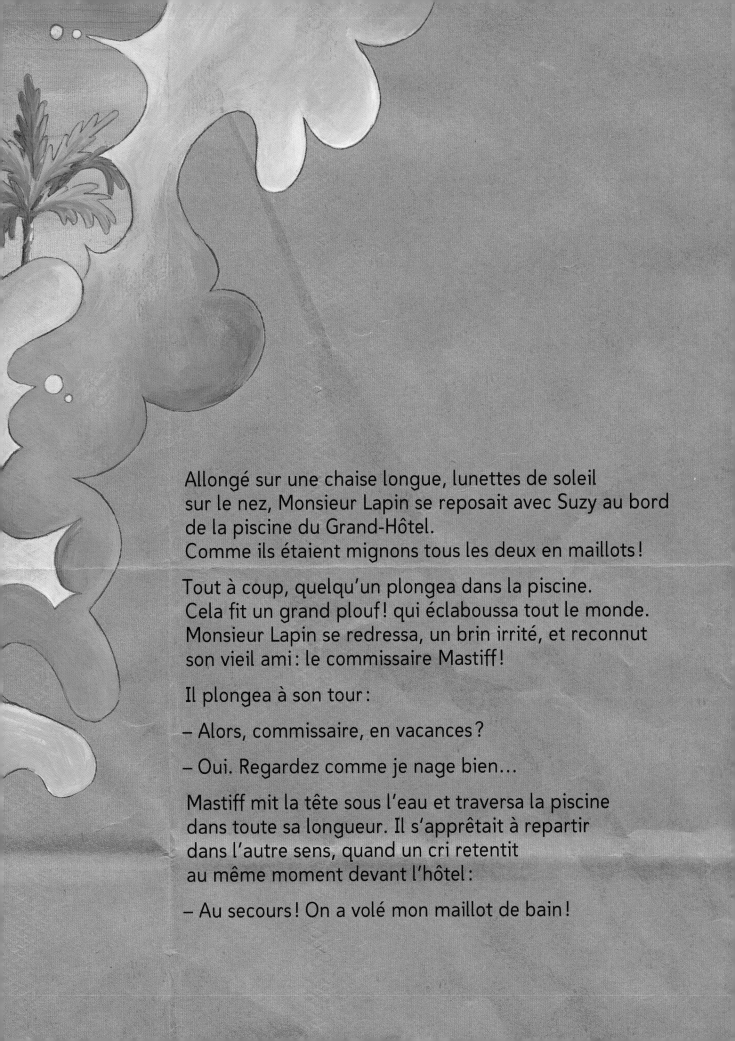

Allongé sur une chaise longue, lunettes de soleil
sur le nez, Monsieur Lapin se reposait avec Suzy au bord
de la piscine du Grand-Hôtel.
Comme ils étaient mignons tous les deux en maillots!

Tout à coup, quelqu'un plongea dans la piscine.
Cela fit un grand plouf! qui éclaboussa tout le monde.
Monsieur Lapin se redressa, un brin irrité, et reconnut
son vieil ami: le commissaire Mastiff!

Il plongea à son tour:

– Alors, commissaire, en vacances?

– Oui. Regardez comme je nage bien…

Mastiff mit la tête sous l'eau et traversa la piscine
dans toute sa longueur. Il s'apprêtait à repartir
dans l'autre sens, quand un cri retentit
au même moment devant l'hôtel:

– Au secours! On a volé mon maillot de bain!

Mastiff et Monsieur Lapin accoururent vers la victime. C'était la comtesse de Tesse, une brebis fortunée qui vivait toute l'année au Grand-Hôtel.

– Quelqu'un est entré dans ma chambre, expliqua-t-elle,
et a fouillé dans mes affaires. Mon maillot a disparu !

– On ne vous a rien pris d'autre ? l'interrogea Mastiff. Des bijoux ?

– Non. J'ai vérifié.

– De quelle couleur est ce maillot ? demanda Monsieur Lapin.

La comtesse se mit à rougir. Elle n'avait pas l'habitude
qu'on lui pose une telle question.

– Euh… Il est rose, avec de petits cœurs imprimés dessus.
J'y tiens beaucoup.

– Allons dans votre chambre, proposa Mastiff.
Le voleur a peut-être laissé des traces…

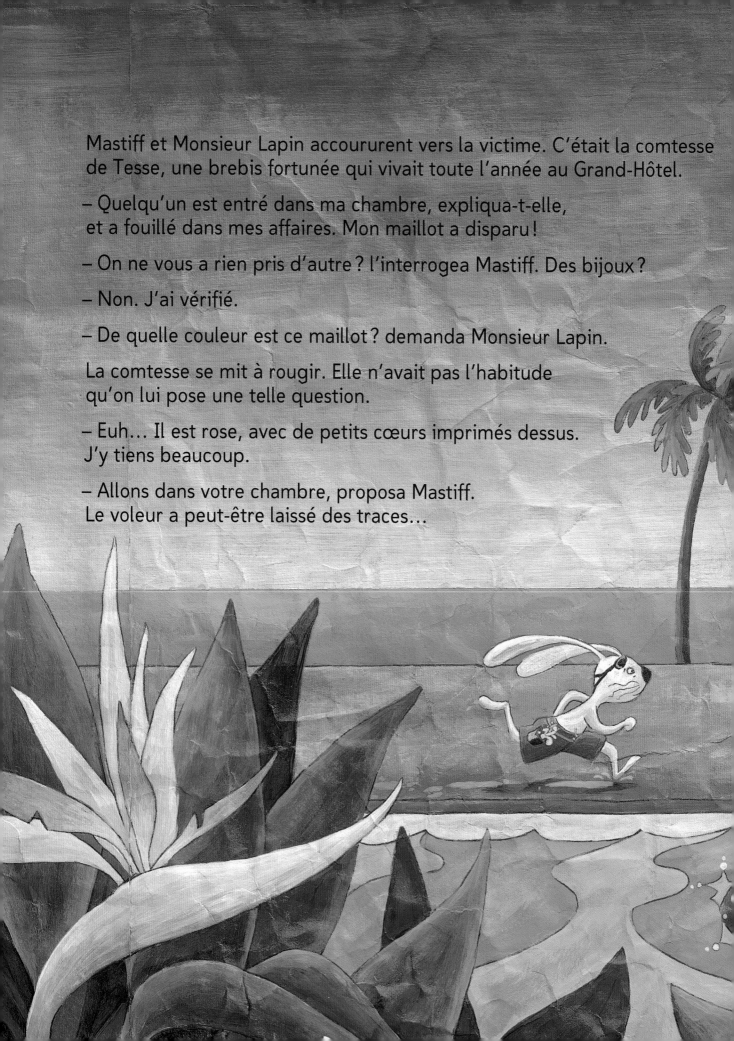

Mastiff avait du flair. Dans la chambre de la comtesse,
il repéra une gomme à mâcher collée sur la belle moquette.

La comtesse prit un air dégoûté :

– Ce n'est pas moi qui ai fait ça! D'ailleurs, j'ai horreur
des gommes à mâcher. Je préfère l'herbe tendre.

– Le voleur l'a donc oubliée ici ! s'exclama Mastiff.

Puis, revenant au maillot volé, il demanda à la comtesse
si elle n'avait pas une photo pour qu'on puisse le retrouver.

La comtesse en sortit une de son sac. On la voyait sur un
yacht, vêtue de son petit maillot rose et entourée d'une
dizaine d'admirateurs, rien que des petits moutons en
maillots de laine…

– Le voleur est peut-être sur cette photo, suggéra le policier.
Un admirateur… Qu'en pensez-vous, Monsieur Lapin ?

Monsieur Lapin était songeur.
La comtesse était vraiment sublime dans son maillot.
Oui, mais… il n'était pas un mouton, lui !

Le soir même, d'autres maillots disparurent.
Mastiff en dressa une liste dans son carnet :

Chambres 3, 6, 9 : sept maillots de la famille Nombre-Euze.
Chambre 12 : caleçon du célèbre boxeur Rhino.
Chambre 15 : maillots en or de M. et Mme Deluxe.
Chambre 18 : un maillot une pièce en forme de poisson.
Chambre 21 : un maillot blanc et noir, marque Pingouin et Cie.

Au total, cela faisait douze maillots de bain !

Monsieur Potame, le directeur de l'hôtel, réunit
les victimes dans le grand salon. Aidé de Suzy,
il leur proposa des maillots de rechange en attendant.

Pendant ce temps, le commissaire et Monsieur Lapin fouillèrent
les chambres des malheureux clients.

Dans la chambre 9, Mastiff trouva une autre gomme à mâcher.
Celle-là était parfumée aux champignons. Étrange ! Monsieur Lapin,
lui, dans la chambre du boxeur Rhino, mit la main sur des petits
copeaux de bois… De plus en plus étrange !

Ils allèrent montrer leurs trouvailles au directeur.

Voyant les copeaux de bois, Monsieur Potame s'exclama :

— Je crois savoir qui est le voleur !

Monsieur Potame raconta qu'il avait dû renvoyer
son secrétaire quelques jours plus tôt, un écureuil
du nom de Bel-dents.

— Au lieu de travailler, il passait son temps à grignoter
tous les crayons. Il y avait des copeaux partout.
J'en trouvais même dans les cuisines… À mon avis,
Bel-dents m'en veut encore. Il cherche à se venger.

Mastiff et Monsieur Lapin, sans plus attendre,
se rendirent chez Bel-dents.

Pendant ce temps, trois visiteurs déambulaient
à pas de loup dans les couloirs du Grand-Hôtel,
guettant le moindre bruit…

Le premier se faisait appeler Nestor et guidait les deux autres : l'un mâchouillait une gomme à mâcher, l'autre crachait de temps à autre des copeaux de bois.

Nestor s'arrêta devant la porte d'une chambre :

– Je prends celle-là, murmura-t-il.
Vous vous occupez de la suivante.

Ses complices opinèrent en silence. Nestor crocheta la porte, puis se faufila à l'intérieur de la chambre.

Il ouvrit les tiroirs d'une commode et s'écria :

– Bonne prise ! Deux maillots et des plus beaux !

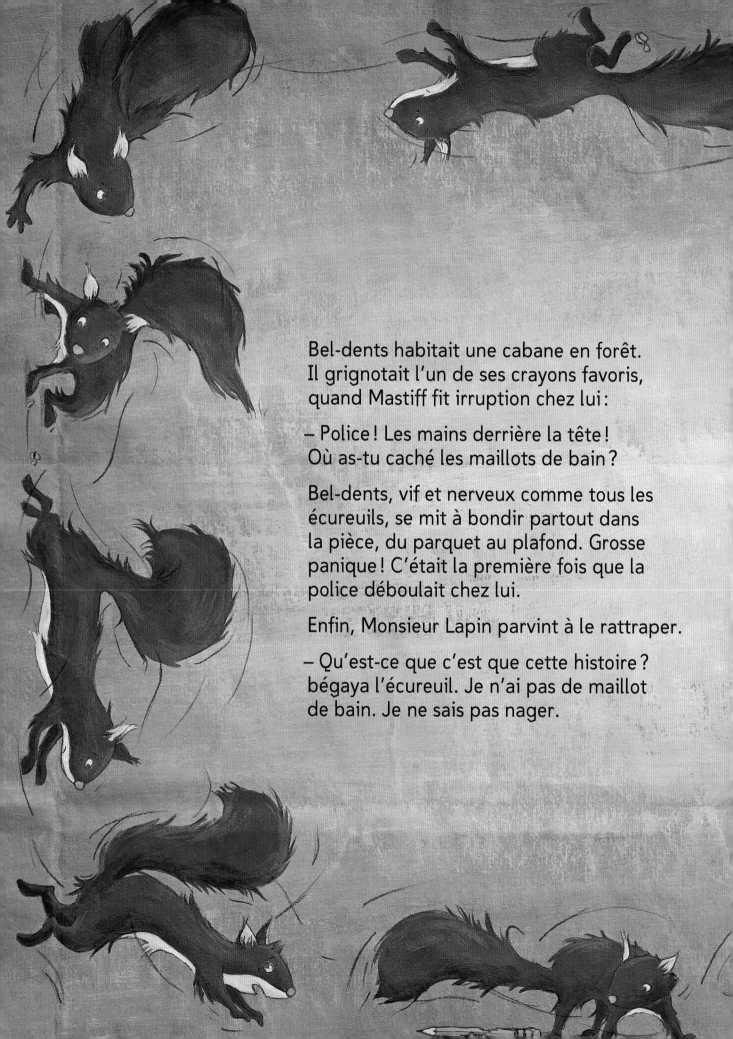

Bel-dents habitait une cabane en forêt.
Il grignotait l'un de ses crayons favoris,
quand Mastiff fit irruption chez lui :

– Police ! Les mains derrière la tête !
Où as-tu caché les maillots de bain ?

Bel-dents, vif et nerveux comme tous les
écureuils, se mit à bondir partout dans
la pièce, du parquet au plafond. Grosse
panique ! C'était la première fois que la
police déboulait chez lui.

Enfin, Monsieur Lapin parvint à le rattraper.

– Qu'est-ce que c'est que cette histoire ?
bégaya l'écureuil. Je n'ai pas de maillot
de bain. Je ne sais pas nager.

On fouilla la cabane. On ne trouva rien, en
dehors d'une riche collection de crayons
que Bel-dents conservait dans des boîtes
numérotées. Bel-dents n'était pas le voleur.
Le directeur de l'hôtel s'était trompé.

Monsieur Lapin, pour s'excuser
du dérangement, promit de lui envoyer
un lot de beaux crayons bien craquants.

– Avec des petites gommes au bout,
précisa Bel-dents, si c'est possible.
J'adore mâchouiller les petites gommes !

De retour au Grand-Hôtel, catastrosphe !
Suzy et Monsieur Lapin découvrirent
qu'on leur avait volé leurs maillots de bain !

Monsieur Lapin alla prévenir Mastiff aussitôt.
Le policier sortit au même moment. Le couloir
étant éteint, ils se rentrèrent dedans. Boum !

– Qui va là ? s'écria le policier.
Pas un geste ou je tire !

– C'est moi, Monsieur Lapin.
Attendez, je vais allumer…

Quand la lumière revint, Monsieur Lapin
vit que Mastiff pleurait. Lui aussi,
on lui avait volé son maillot !

– C'est MON maillot ! hoqueta le policier entre
deux sanglots. Un cadeau de MA maman.
Elle me l'avait offert exprès pour mes vacances…

– Allons, le consola Monsieur Lapin,
on va le retrouver. Ne vous inquiétez pas…

À ces mots, Mastiff pleura de plus belle.
Le pauvre, il était vraiment inconsolable.

« Bon, se dit Monsieur Lapin en raccompagnant
son ami, je crois que je vais continuer
l'enquête sans lui ».

Monsieur Lapin entraîna Suzy avec lui. Ils arpentèrent le Grand-Hôtel
en long et en large, espérant mettre la main sur le voleur.
Peine perdue. Ils ne rencontrèrent qu'un couple de souris qui
rentrait d'un bal masqué.

Ils allaient regagner leur chambre, quand un bruit
de plongeon les alerta du côté de la piscine.
Bizarre… Ce n'était pas une heure pour se baigner.

Suzy descendit pendant que Monsieur Lapin
courait prévenir le commissaire…

Et alors là, stupeur ! Suzy vit trois formes velues qui nageaient dans
le bassin. Trois castors en maillots de bain et qui s'amusaient bien !

– L'eau est super bonne ! s'écria l'un d'eux. Et on a de chouettes maillots !

Suzy remonta aussitôt prévenir Mastiff et Monsieur Lapin.

Comme Mastiff avait le sommeil lourd,
Monsieur Lapin dut le chatouiller très fort
pour le tirer du lit.

– Les voleurs sont dans la piscine !
les alerta Suzy. Il faut les arrêter
tout de suite.

Mastiff s'agita :

– Hein ? Quoi ? Les voleurs ? Quels voleurs ?
Où ça ? Est-ce que je rêve ou quoi ?

Monsieur Lapin l'entraîna dehors en le tirant
par son pyjama. Ils arrivèrent devant la piscine,
et ensuite…

Manque de chance, les trois castors
s'étaient envolés !

Mais leurs pattes mouillées avaient
laissé des traces par terre…

Les traces les menèrent devant une petite
chambre, sous les toits du Grand-Hôtel.

Mastiff frappa de grands coups:

– Police! Ouvrez!

La porte tomba d'elle-même,
tant elle était vermoulue.

À l'intérieur de la pièce se tenaient trois
castors serrés sur un vieux matelas. Terrifiés.

– Où sont les maillots? s'écria le policier,
tandis que Monsieur Lapin prévenait
le directeur de l'hôtel.

Nestor lui montra une valise dans un coin.
Mastiff l'ouvrit et découvrit les maillots volés,
y compris le sien, un maillot bleu à pois jaunes.

Le policier ne se tenait plus de joie.
Tiens, si ça avait été le moment, il serait
bien allé piquer une tête dans l'eau!

Là-dessus, Monsieur Potame arriva.
Rouge, les naseaux dilatés, il faisait peur à voir.
Les castors se firent tout petits sur leur matelas.
Vraiment tout petits…

– Vous! s'écria Monsieur Potame. Mes employés!

Les castors lavaient la vaisselle au Grand-Hôtel.
Ils faisaient aussi le ménage. Et quand le ménage
était fait, eh bien… ils devaient s'occuper
du jardin!

C'est ce que raconta Nestor à Mastiff et à Monsieur
Lapin. Ses deux complices étaient muets, mais ils
faisaient un sacré bruit avec leurs mâchoires :
l'un en mastiquant de la gomme à mâcher,
l'autre en grignotant sans arrêt un bout de bois.

Nestor expliqua pourquoi ils avaient piqué
les maillots :

– On en avait assez de travailler comme des fous,
alors que les clients de l'hôtel se la coulaient douce
dans la piscine. On leur a volé leurs maillots pour
qu'ils n'aillent plus se baigner. Plus de maillots,
plus de piscine! Plus de piscine, finies
les vacances!

– Grosse bêtise, plus de travail! répliqua
Monsieur Potame. Vous êtes renvoyés!

– Oh non! répliqua Nestor.
Qu'est-ce qu'on va devenir à présent?

Les clients de l'hôtel retrouvèrent leurs maillots
et les joies de la piscine.

Monsieur Lapin implora la bienveillance du directeur
pour que les castors ne se retrouvent pas à la rue.

Monsieur Potame leur en voulait encore,
mais il reconnut aussi qu'il les avait fait trop travailler.

– Gardez-les, insista Monsieur Lapin. Je m'occupe du reste…

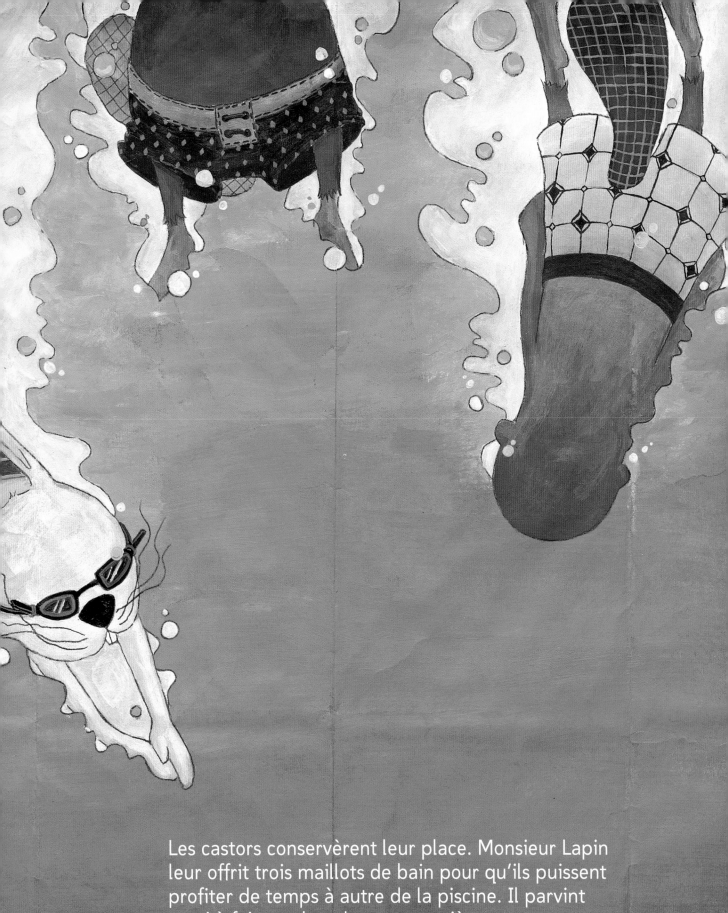

Les castors conservèrent leur place. Monsieur Lapin
leur offrit trois maillots de bain pour qu'ils puissent
profiter de temps à autre de la piscine. Il parvint
aussi à faire embaucher un quatrième castor.

À quatre, la vaisselle et le ménage allaient plus vite,
et cela laissait du temps… pour aller se baigner !

Nous remercions le Conseil des
arts du Canada de l'aide accordée
à notre programme de publication
et la SODEC pour son appui
financier en vertu du Programme
d'aide aux entreprises du livre
et de l'édition spécialisée.

Nous reconnaissons l'aide financière
du gouvernement du Canada par
l'entremise du Fonds du livre du Canada
(FLC) pour nos activités d'édition.

Gouvernement du Québec – Programme
de crédit d'impôt pour l'édition
de livres – Gestion SODEC

LES VACANCES DE MONSIEUR LAPIN

a été publié sous la direction de Renaud Plante.

Design graphique : Bruno Ricca
Révision : Jenny-Valérie Roussy
Correction : Fleur Neesham

© 2015 Pascal Hérault, Geneviève Després
et les Éditions Les 400 coups
Montréal (Québec) Canada

Dépôt légal – 2e trimestre 2015
Bibliothèque et Archives nationales du Québec
Bibliothèque et Archives Canada

ISBN 978-2-89540-644-0

Loi 49-956 du 16 juillet 1949 sur les
publications destinées à la jeunesse.

Catalogage avant publication de Bibliothèque
et Archives nationales du Québec et Bibliothèque
et Archives Canada
Hérault, Pascal, 1963-
    Les vacances de Monsieur Lapin
    Pour enfants de 5 ans et plus.
    ISBN 978-2-89540-644-0
    I. Després, Geneviève. II. Titre.
PZ26.3.H463Va   2015 j843'.92   C2014-940194-9